Byw yn y gofod

Katie Daynes
Dylunio gan Zöe Wray
Lluniau gan Christyan Fox ac Alex Pang
Ymgynghorydd y gofod: Stuart Atkinson
Addasiad Cymraeg: Elin Meek

Cynnwys

Y Ddaear a'r gofod

Planed fawr gron yw'r Ddaear.
Dyma sut mae'n edrych o'r gofod.

Mae gofodwyr yn teithio i'r gofod i fyw a gweithio.

Ystyr y gair Saesneg 'astronaut' yw 'morwr y sêr'.

Ysgol ofod

Er mwyn bod yn ofodwr, mae'n rhaid mynd i ysgol ofod a dysgu sut i fyw yn y gofod.

Ar y Ddaear, mae pethau sy'n neidio'n mynd i fyny ac i lawr.

Mae grym anweledig o'r enw disgyrchiant yn eu tynnu i lawr.

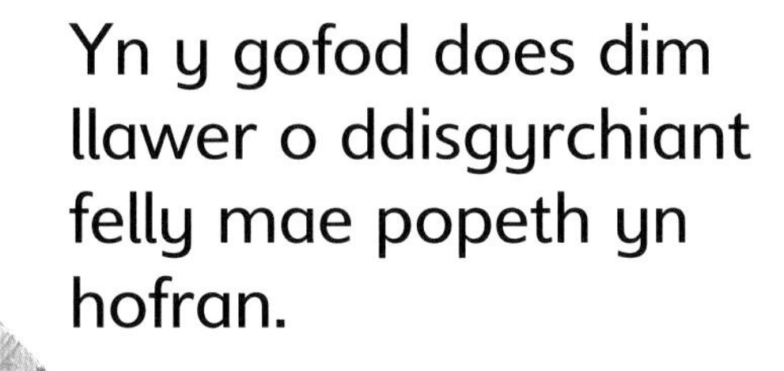

Yn y gofod does dim llawer o ddisgyrchiant felly mae popeth yn hofran.

Mae'n rhaid i ofodwyr ddysgu beth i'w wneud wrth hofran yn y gofod.

Yn yr ysgol ofod, mae gofodwyr yn dysgu sut i weithio mewn dŵr. Mae'n teimlo fel gweithio yn y gofod.

Maen nhw hefyd yn ymarfer dianc mewn argyfwng.

Maen nhw'n llithro i lawr polyn ar fat meddal.

Paratoi i fynd

Mae gofodwyr yn hedfan i'r gofod mewn gwennol ofod. Mae'r wennol yn gadael o bad lansio.

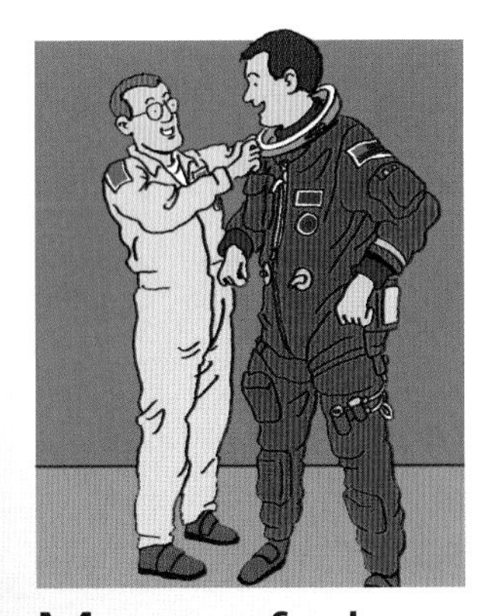

Mae gofodwyr yn gwisgo siwtiau oren arbennig.

Maen nhw'n teithio mewn lifft i'r wennol.

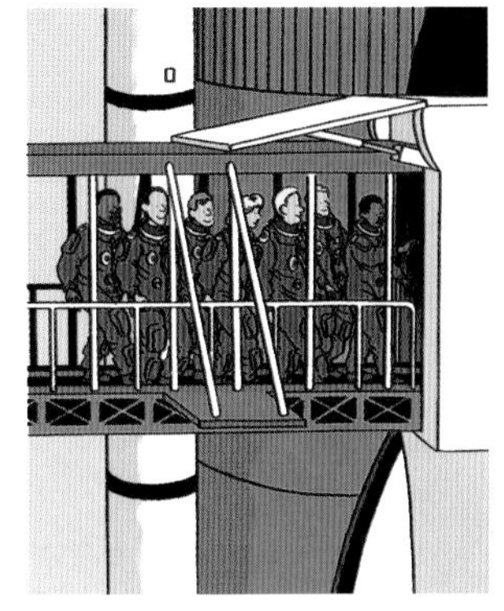

Yna maen nhw'n croesi pont i fynd i mewn i'r wennol.

Mae'r gofodwyr yn gorwedd yn nhrwyn y wennol tan ei bod hi'n amser mynd.

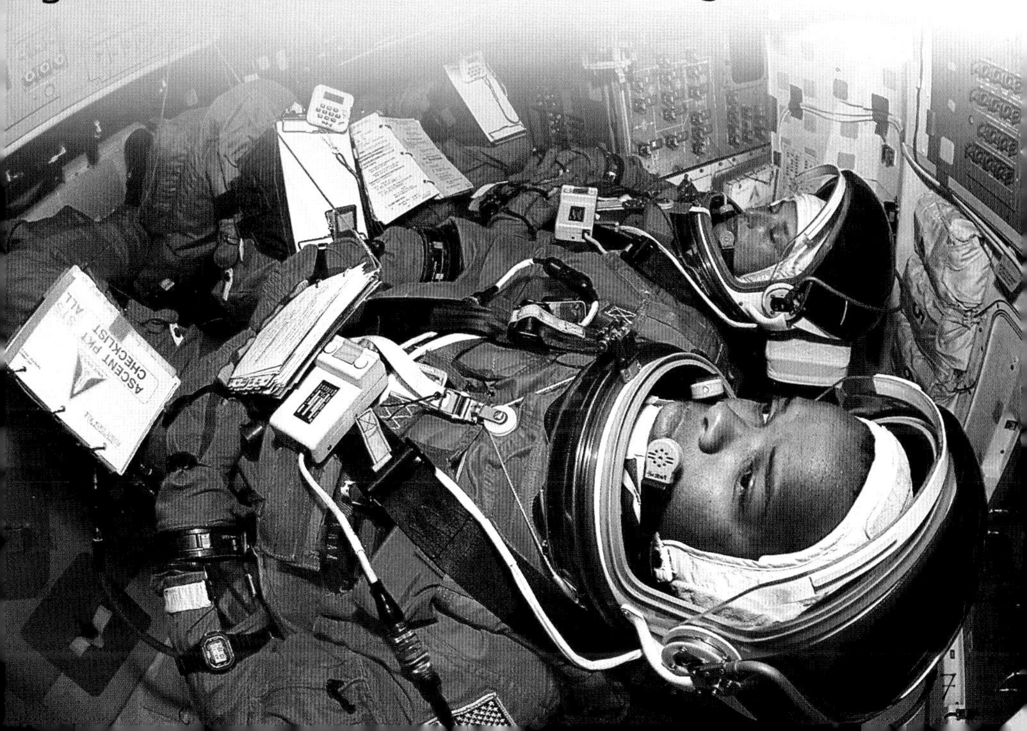

Codi o'r Ddaear

Mae'r injans yn dechrau llosgi tanwydd o'r tanc tanwydd. Yna mae'r ddwy roced yn tanio ac mae'r wennol yn gwibio i'r gofod.

3... 2... 1...
Codi!

Does neb yn cael setyll yn agos at y pad lansio achos ei fod yn rhy beryglus.

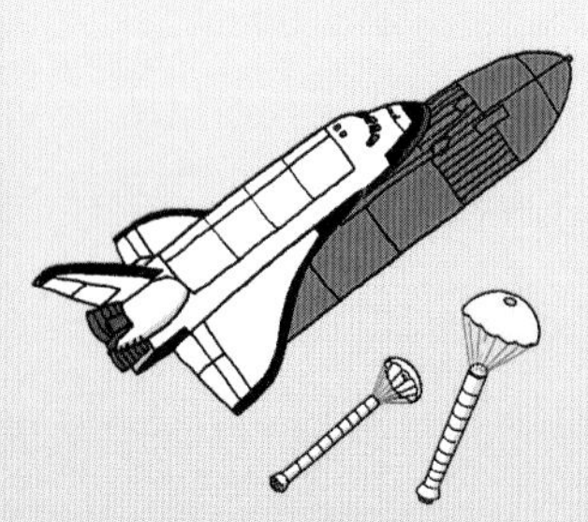

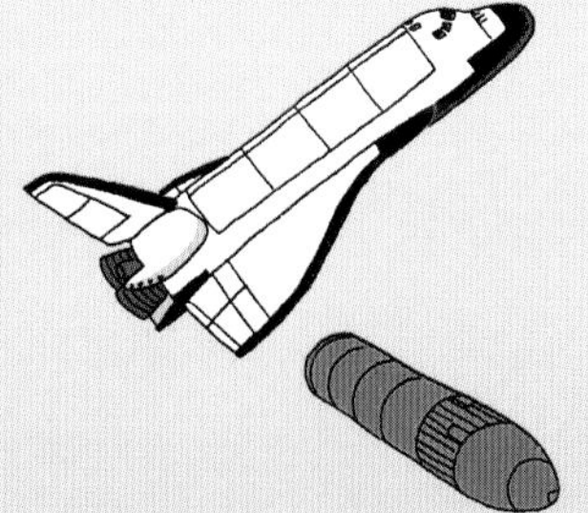

Ar ôl dwy funud, mae'r rocedi'n cwympo i'r môr.

Ar ôl wyth munud, mae'r tanc tanwydd yn syrthio i ffwrdd.

Nawr mae'r wennol yn hofran yn y gofod.

Mae dau fflap yn agor ar gefn y wennol fel nad yw hi'n mynd yn rhy boeth y tu mewn.

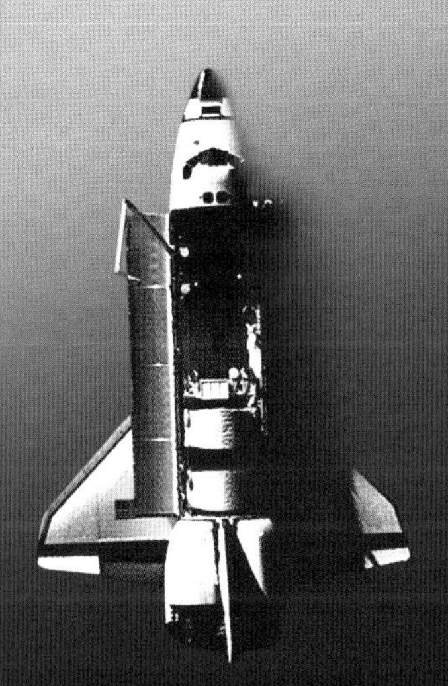

Cylchdroi

Mae'r wennol ofod yn mynd o gwmpas y Ddaea
mewn cylch mawr. Cylchdroi yw'r enw ar hyn.

Dim ond 90 munud mae'n ei gymryd i'r wennol ofod gylchdroi'r Ddaear.

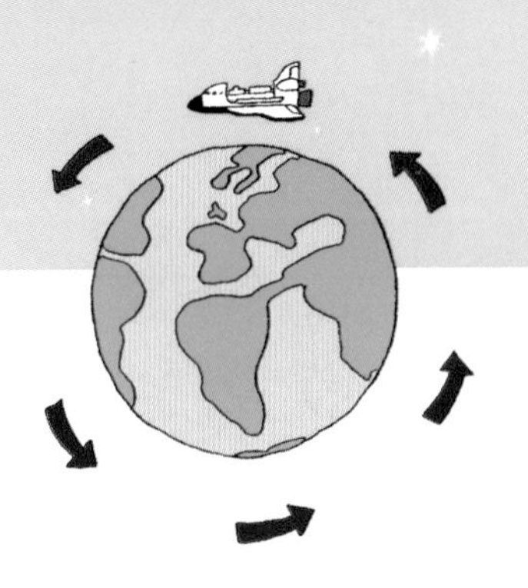

Cilfach y prif lwyth yw'r enw ar ran ganol y wennol. Mae'n cario pethau mawr i'r gofod.

Mae'r gofodwyr yn gweithio, bwyta a chysgu yn nhrwyn y wennol.

Cartref yn y gofod

Mae rhai gofodwyr yn aros yn y gofod am amser hir. Maen nhw'n byw mewn cartref sy'n hofran, sef gorsaf ofod.

Mae gofodwyr yn adeiladu gorsaf ofod fawr, newydd. Dyma sut bydd hi'n edrych pan fydd hi'n barod.

Mae'r wennol
yn teithio
drwy'r gofod.

Mae'n hedfan
yn agos i'r
orsaf ofod.

Wedyn mae'n
cysylltu â'r
orsaf ofod.

Pan fydd yr orsaf
ofod yn barod, bydd
hi mor fawr
â dau gae
pêl-droed.

Yr orsaf ofod

Mae'r wennol ofod yn cario rhannau'r orsaf ofod newydd i'r gofod.

Mae braich robot ar y wennol yn codi tiwb mawr o gilfach y prif lwyth.

Wedyn mae'r fraich robot yn rhoi'r tiwb newydd wrth yr orsaf ofod.

Mae rhai o'r tiwbiau cymaint â bws.

Mae'r gofodwyr yn byw mewn tiwb fel yma.

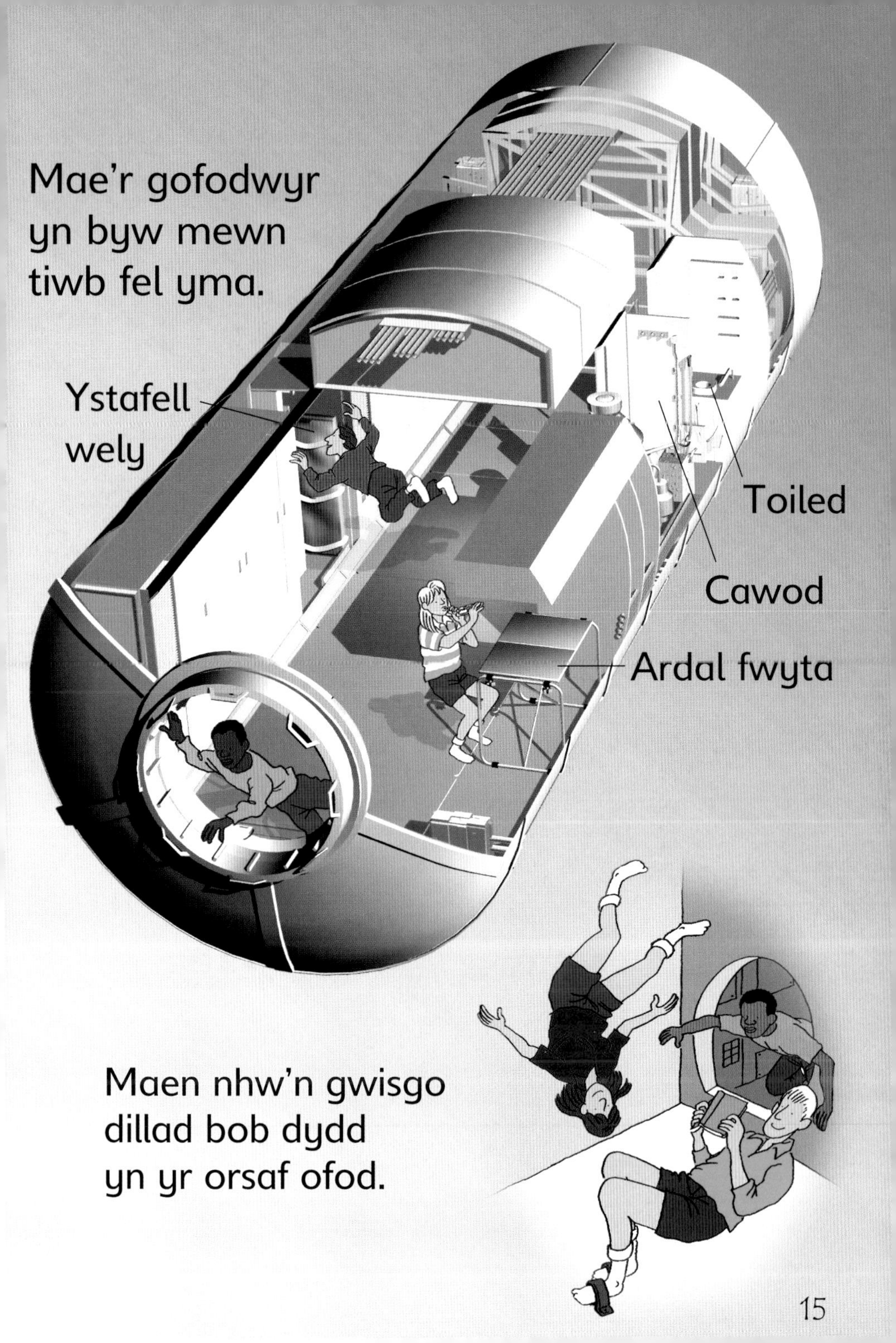

Maen nhw'n gwisgo dillad bob dydd yn yr orsaf ofod.

Bwyta ac yfed

Pan fydd gofodwyr yn mynd i'r gofod maen nhw'n mynd â'u bwyd a'u diod gyda nhw.

Doedd bwyd y gofodwyr cyntaf ddim yn edrych nac yn blasu'n dda iawn.

Cig eidion gyda llysiau

Roedd bwyd yn cael ei sychu a'i selio.

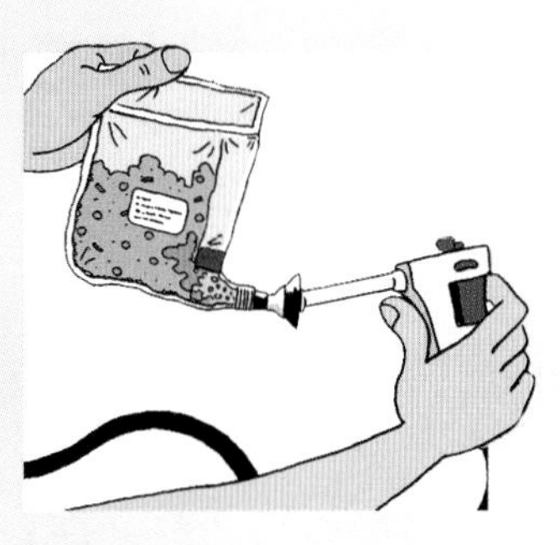

Roedd gofodwyr yn rhoi dŵr cynnes . . .

. . . oedd yn gwneud i'r bwyd fynd yn soeglyd.

Weli di'r smotyn o ddiod sy'n hofran tuag at geg y gofodwr?

Heddiw, mae'r prydau bwyd fel arfer mewn pecynnau. Dim ond angen eu cynhesu nhw sydd. Mae ffrwythau'n cael eu sychu i'w cadw'n ffres.

Mefus wedi sychu

Bwytaodd y dyn cyntaf i gerdded ar y lleuad hufen iâ wedi sychu yn y gofod.

Cadw'n lân

Mae'n anodd byw mewn gorsaf ofod. Does dim llawer o le ac mae popeth yn hofran.

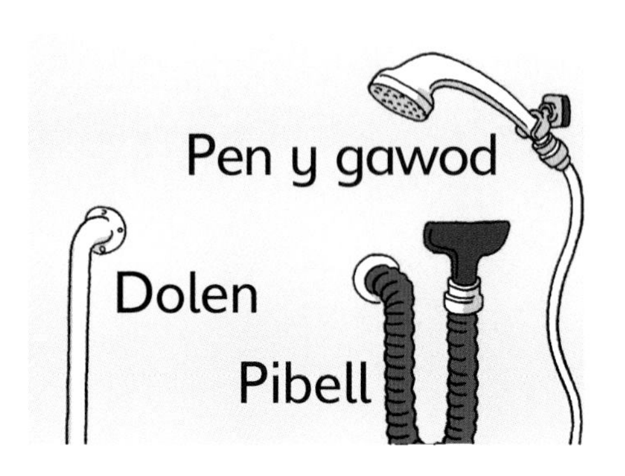

Mewn cawod ofod mae'r dŵr yn llifo allan ac yna mae'r dafnau'n hofran.

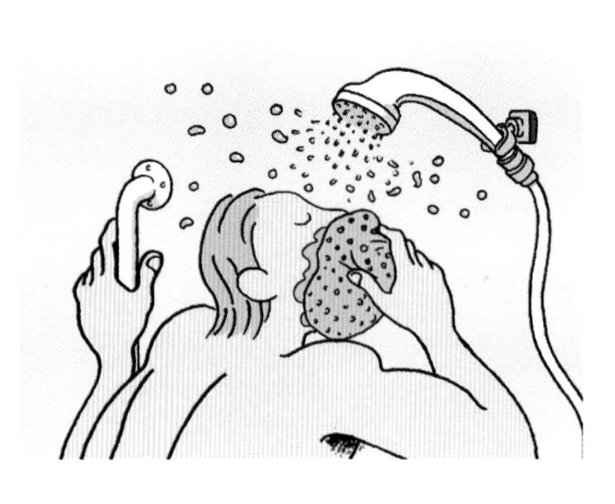

Mae gofodwr yn cydio yn y ddolen i aros yn llonydd tra mae'n ymolchi.

Ar ôl gorffen, mae'n defnyddio pibell i sugno'r dŵr i gyd.

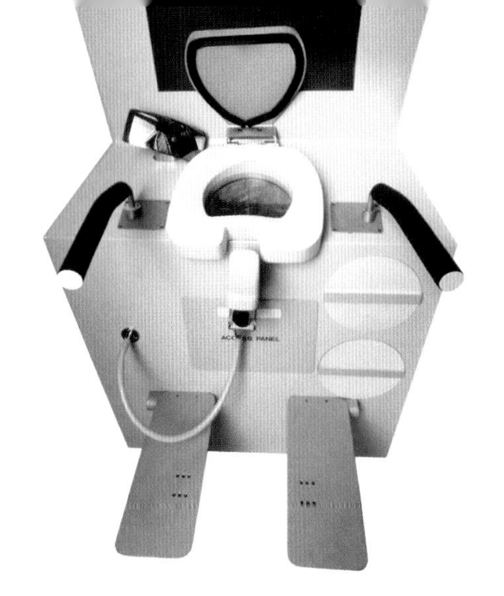

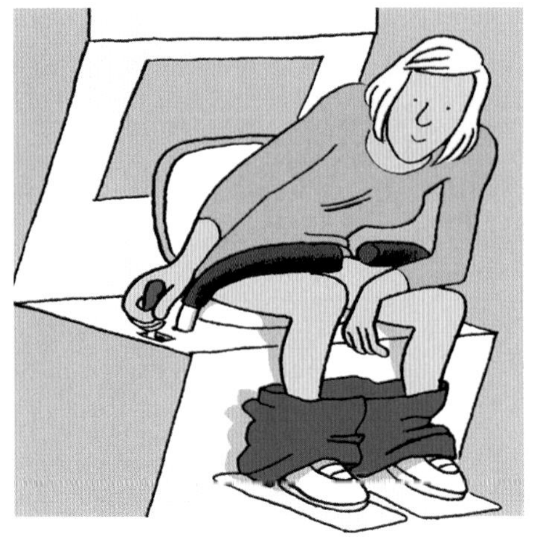

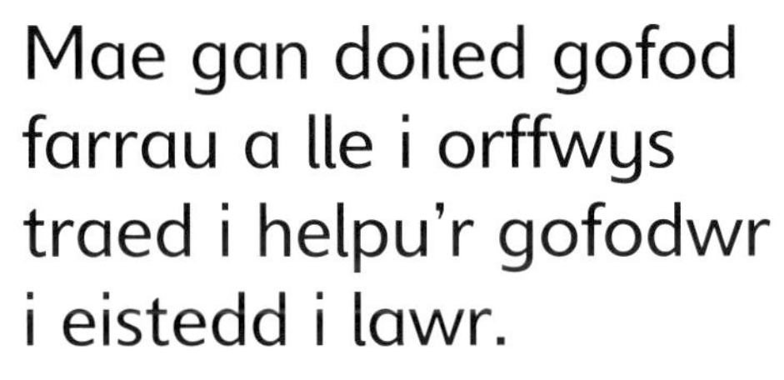

Mae gan doiled gofod farrau a lle i orffwys traed i helpu'r gofodwr i eistedd i lawr.

Mae gofodwraig yn llithro'r barrau dros ei choesau ac yn troi'r llif awyr ymlaen.

Mae gofodwyr yn ailgylchu peth dŵr yn y gofod ac mae rhagor yn dod o'r Ddaear mewn tanciau fel hyn.

Diwrnod yn y gofod

Mae gofodwyr yn gweithio yn yr orsaf ofod. Dyma'r labordy lle maen nhw'n gwneud profion. Mae'n edrych fel tiwb.

Maen nhw'n gosod rhannau newydd yn yr orsaf ofod.

Maen nhw'n ymarfer bob dydd i gadw'n iach a heini.

Maen nhw'n cysgu mewn sach gysgu sy'n sownd wrth y wal.

I ymlacio, mae gofodwyr yn darllen, gwrando ar gerddoriaeth, neu'n edrych ar y golygfeydd gwych o'r Ddaear.

Mae gofodwyr yn gallu siarad â phobl ar y Ddaear ac anfon negeseuon drwy'r cyfrifiadur.

Siwtiau gofod

Mae'n rhaid i ofodwyr wisgo siwt ofod wrth weithio'r tu allan i'r orsaf ofod.

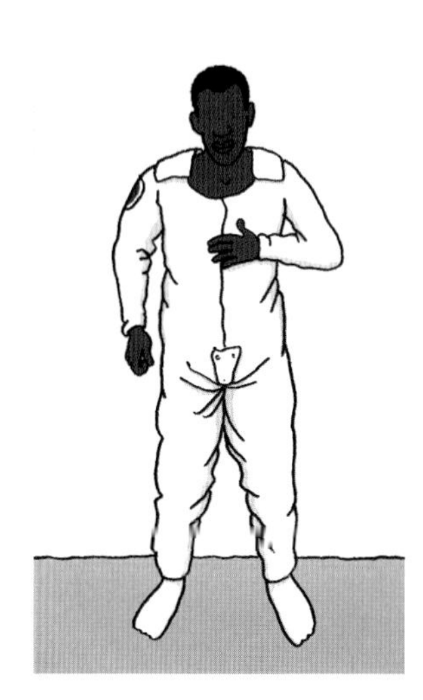

Mae'r haen gyntaf yn eu cadw'n oer neu'n gynnes.

Mae'r haen allanol yn eu gwarchod.

Yna maen nhw'n gwisgo'r helmed a'r menig.

Y tu mewn i'r helmed mae'r gofodwyr yn gallu yfed drwy welltyn a siarad â'i gilydd.

Mae'r sach ar eu cefnau'n cario aer i'w anadlu a dŵr i gynhesu neu oeri'r gofodwyr.

Does dim angen esgidiau gofod i gerddded. Mae'r gofodwyr yn symud o gwmpas drwy gydio mewn pethau â'u dwylo.

Mynd allan

Mae gofodwyr yn mynd allan i'r gofod drwy drap aer. Mae'n stopio aer rhag dianc o'r orsaf ofod.

Mae gofodwr yn mynd drwy'r drws cyntaf.

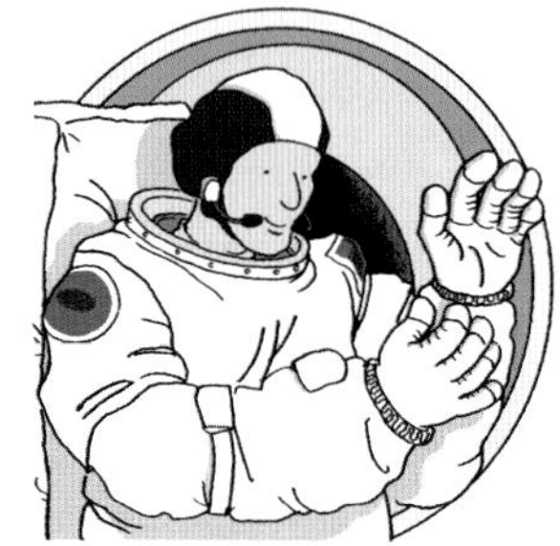

Yn y trap aer mae'n gwisgo siwt ofod.

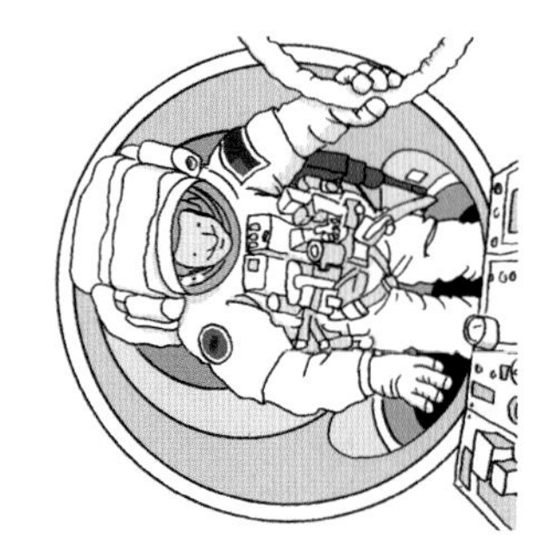

Mae'n gadael drwy'r ail ddrws.

Weithiau mae gofodwr yn gwisgo pac jet er mwyn gallu symud o gwmpas y tu allan i'r orsaf ofod.

Weithiau mae gofodwyr yn gweithio y tu allan. Mae'r gofodwr hwn yn gweithio yng nghilfach prif lwyth y wennol ofod.

Collodd un gofodwr faneg yn y gofod. Mae hi'n dal i hofran yn rhywle.

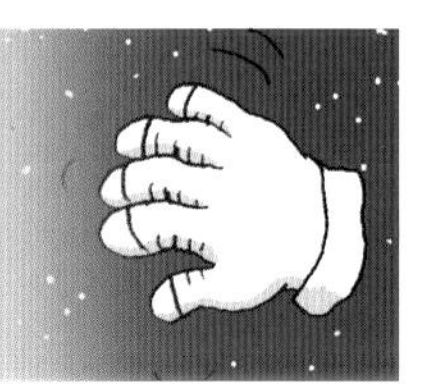

'Nôl i'r Ddaear

Ar ôl 90 niwrnod ar yr orsaf ofod mae'r gofodwyr yn teithio 'nôl i'r Ddaear.

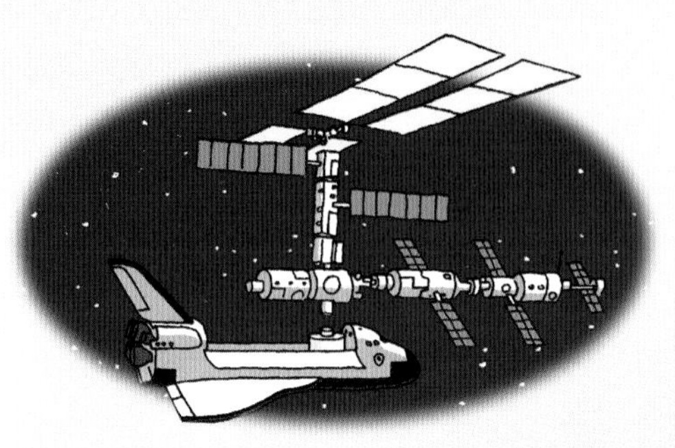

Mae'r wennol yn gadael yr orsaf ofod.

Mae'n poethi wrth gwympo 'nôl drwy'r awyr.

Mae'r wennol yn glanio ar redfa, fel awyren.

Mae parasiwt yn ei helpu i arafu.

Blwyddyn a 72 diwrnod yw'r amser hiraf mae gofodwr wedi aros yn y gofod.

Tripiau i'r gofod

Roedd y daith gyntaf i'r gofod ym 1957.

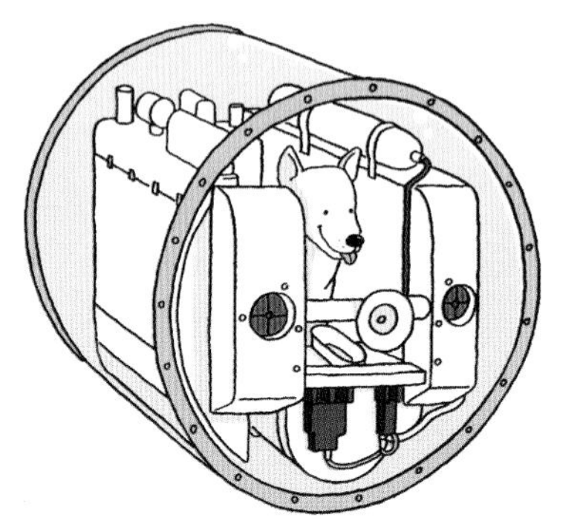

Ci o'r enw Laika oedd y peth byw cyntaf i deithio o'r Ddaear i'r gofod.

Ym 1969 cerddodd gofodwyr ar y lleuad am y tro cyntaf.

Does dim gwynt neu law ar y Lleuad, felly mae olion traed yn aros am ganrifoedd.

Yn y dyfodol efallai byddi di'n gallu hedfan i'r gofod mewn awyren ofod fel hon.

Efallai bydd pobl yn gallu byw mewn cartrefi gofod fel hyn.

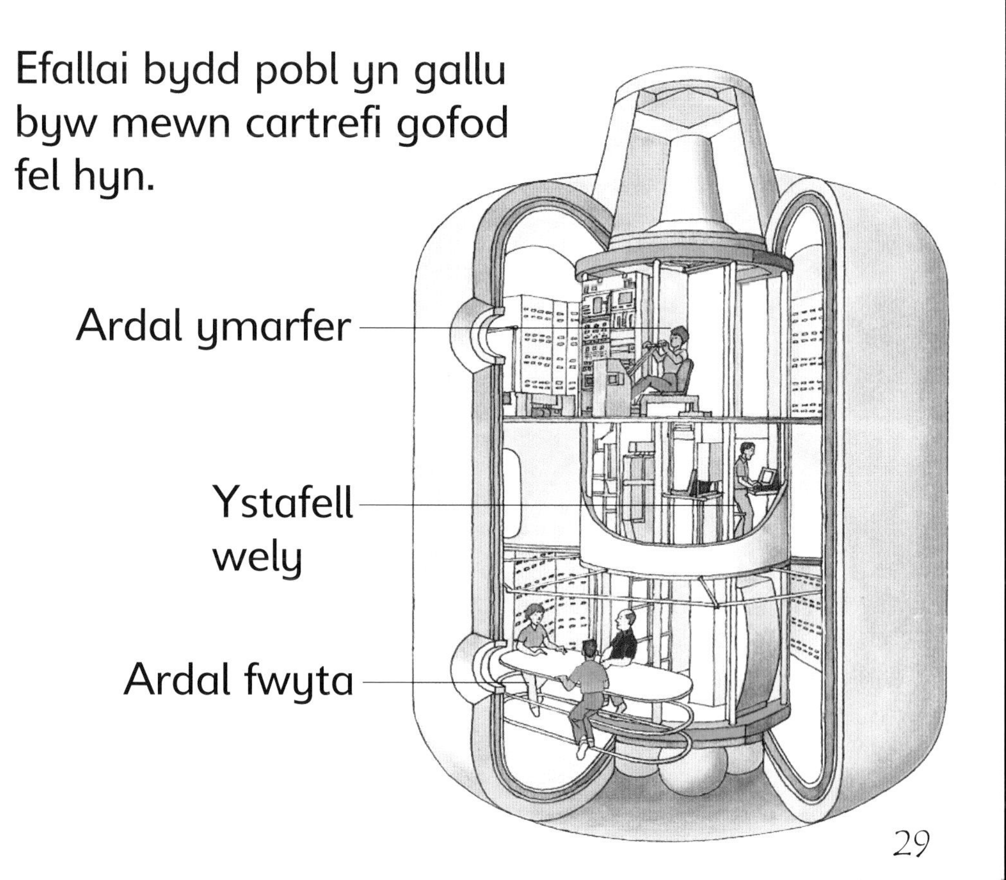

Geirfa'r gofod

Dyma rai o'r geiriau yn y llyfr hwn sy'n newydd i ti, efallai. Mae'r dudalen hon yn rhoi'r ystyr i ti.

planed – gwrthrych mawr crwn yn y gofod. Planed yw'r Ddaear.

disgyrchiant – grym anweledig sy'n tynnu pethau sydd ar y Ddaear i'r llawr.

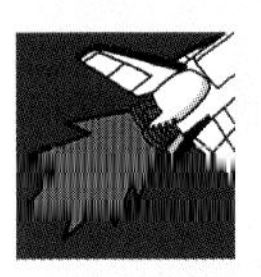

tanwydd – rhywbeth sy'n llosgi i roi pŵer i'r wennol ofod deithio'n gyflym iawn.

cylchdroi – mynd o gwmpas planed mewn cylch mawr.

cilfach y prif lwyth – rhan ganol y wennol ofod lle mae pethau mawr yn cael eu cario.

labordy – man lle mae pobl yn gwneud profion.

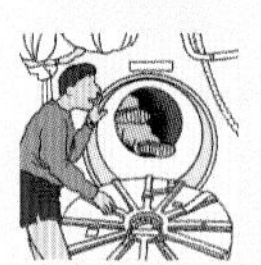

trap aer – set o ddrysau i fynd i mewn ac allan o orsaf neu wennol ofod.

Gwefannau diddorol

Mae llawer o wefannau diddorol i ymweld â nhw i ddysgu rhagor am fyw yn y gofod. I ymweld â'r gwefannau hyn, cer i **www.usborne-quicklinks.com**. Darllena ganllawiau diogelwch y Rhyngrwyd, ac yna teipia'r geiriau allweddol **"beginners space"**.

Caiff y gwefannau hyn eu hadolygu'n gyson a chaiff y dolenni yn 'Usborne Quicklinks' eu diweddaru. Fodd bynnag, nid yw Usborne Publishing yn gyfrifol, ac nid yw chwaith yn derbyn atebolrwydd, am gynnwys neu argaeledd unrhyw wefan ac eithrio'i wefan ei hun. Rydym yn argymell i chi oruchwylio plant pan fyddant ar y Rhyngrwyd.

Mae fisor sgleiniog yr helmed hon yn adlewyrchu golau'r haul i warchod llygaid y gofodwr.

Mynegai

Cydnabyddiaeth

Cynllun y clawr: Nicola Butler

Lluniau

Mae'r cyhoeddwyr yn ddiolchgar i'r canlynol am yr hawl i atgynhyrchu eu deunydd:
ⓗ **Bristol Spaceplanes:** 29; ⓗ **Corbis:** (Richard T. Nowitz) 4, (Bettmann) 6, (Digital image ⓗ1996 CORBIS; Llun gwreiddiol gyda chaniatâd NASA/CORBIS) 9, (Bettmann) 16, Roger Ressmeyer) 19; **Digital Vision:** Clawr, 3, 26; ⓗ **Genesis Space Photo Library:** 7, 19; ⓗ **NASA:** Clawr, 1, 5, 8, 12-13, 19, 20, 21, 23, 24, 25, 26-27, 28, 31.

Gyda diolch i

Katie Towers yn Buxton Foods Ltd am y mefus gofod.

Cyhoeddwyd gyda chefnogaeth Llywodraeth Cynulliad Cymru.

Cyhoeddwyd gyntaf yn 2003 gan Usborne Publishing Ltd., Usborne House, 83-85 Saffron Hill, Llundain EC1N 8RT.
Cyhoeddwyd gyntaf yng Nghymru yn 2010 gan Wasg Gomer, Llandysul, Ceredigion, SA44 4JL.
www.gomer.co.uk

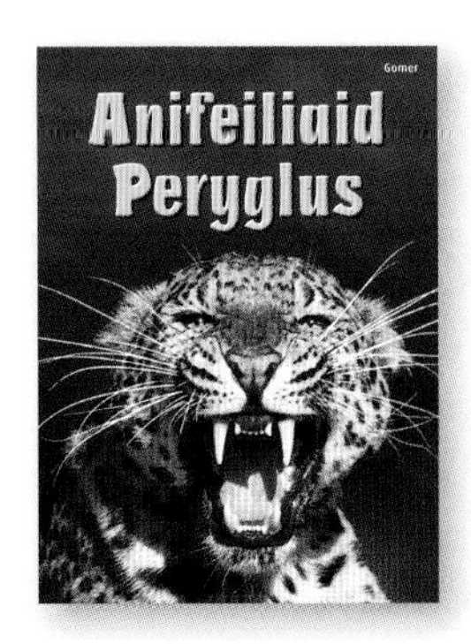
Gomer
Anifeiliaid
Peryglus

Gomer
Bale

Gomer
Byw
yn y gofod

Ceffylau a
Merlod

Gomer
Celtiaid

Gomer
Coedwigoedd
glaw

Gomer
Cŵn

Gomer
Deinosoriaid

Gomer
Dy
Gorff

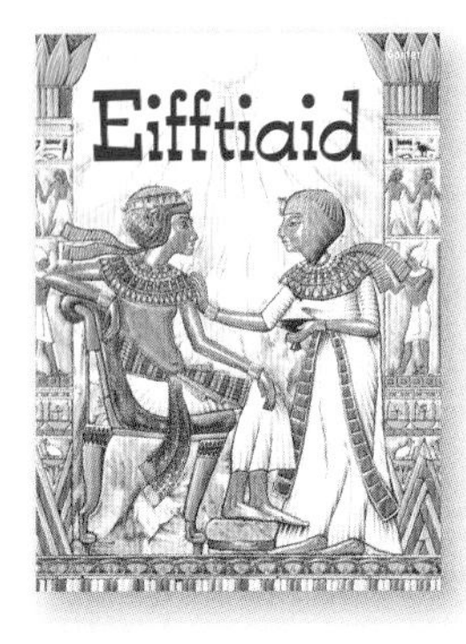
Eifftiaid